Une femme comblée

DE LA MÊME AUTEURE

Récits poétiques

Blanchie, Sudbury, Éditions Prise de parole, 2008.

D'éclats de peines, Sudbury, Éditions Prise de parole, 1991.

Théâtre

La parole et la loi, collectif du Théâtre de la Corvée, coll. « BCF », Sudbury, Éditions Prise de parole, 2007 [1984].

avec Jean Marc Dalpé, *Nickel*, Sudbury, Éditions Prise de parole, 1984.

avec Catherine Caron et Sylvie Trudel, *Strip*, Sudbury, Éditions Prise de parole, 1983.

avec Jean Marc Dalpé, *Hawkesbury Blues*, Sudbury, Éditions Prise de parole, 1982.

BRIGITTE HAENTJENS

Une femme comblée

RÉCIT

Éditions Prise de parole
Sudbury 2012

Catalogage avant publication de Bibliothèque et Archives Canada

Haentjens, Brigitte, 1951-
    Une femme comblée / Brigitte Haentjens.

Publ. aussi en format électronique.
ISBN 978-2-89423-283-5
I. Titre.
PS8565.A327F46 2012   C843'.54   C2012-900110-4

Haentjens, Brigitte, 1951-
Une femme comblée [ressource électronique] / Brigitte Haentjens.
Monographie électronique en format PDF.
Publ. aussi en format imprimé.
ISBN 978-2-89423-495-2
I. Titre.
PS8565.A327F46 2012   C843'.54   C2012-900111-2

Diffusion au Canada : Diffusion Dimédia

Ancrées dans le Nouvel-Ontario, les Éditions Prise de parole appuient les auteurs et les créateurs d'expression et de culture françaises au Canada, en privilégiant des œuvres de facture contemporaine.

La maison d'édition remercie le Conseil des Arts de l'Ontario, le Conseil des Arts du Canada, le Patrimoine canadien (programme Développement des communautés de langue officielle et Fonds du livre du Canada) et la Ville du Grand Sudbury de leur appui financier.

Œuvre en page de couverture et croquis en pages intérieures : Angelo Barsetti
Conception de la couverture et mise en pages : Olivier Lasser

Éditions Prise de parole
C.P. 550, Sudbury (Ontario) Canada P3E 4R2
www.prisedeparole.ca

ISBN 978-2-89423-283-5 (Papier)
ISBN 978-2-89423-495-2 (Pdf)

Camarade ! Camarade !

*Merci aux amis avec qui j'ai pu dialoguer
au cours de l'écriture : Pino, Sébastien Ricard,
Stéphan Pépin, Christian Lapointe.
Un merci tout spécial à Denise Truax,
Louise Dupré et Mélanie Dumont.*

Je l'ai aimé au premier instant

Au premier regard
qui perfora ma peau
comme un clou
un crochet à venin

Le poison dans ma chair lentement instillé

J'avais ignoré la brûlure
l'avais-je dédaignée
avec l'arrogance de ceux
qui ne craignent rien
méprisent les maux ténus
les plaies de surface ?

Je l'ai aimé au premier regard

Pourtant je n'attendais
ni rien ni personne
j'avais deux grands enfants
l'homme de ma vie à mes côtés
une maison toujours pleine
une femme comblée disaient mes amies
qui savent toujours de quoi elles parlent

Au premier souffle

Quand ses yeux ardents
se sont plantés dans les miens
un regard noir et direct
un poignard effilé finement ciselé
qui vous transperce avec précision

Au premier geste

Depuis plus de trente ans
la peinture
ton art ironisaient mes fils
cadençait ma vie
générant son lot de vertiges
de tourments
de tensions fécondes
une existence foisonnante sinon sereine
faite de contrastes de juxtapositions
la création et la vie familiale
la solitude âpre et les tablées d'amis
les déchirures dans les gouffres
et la caresse de la lumière
j'avais appris le grand écart et tanguais parfois
pour trouver l'équilibre entre les extrêmes

Mon compagnon impavide
incarnait l'arbre le roc
prodiguait confiance et amour
le nécessaire à de solides fondations
il tenait les rênes du quotidien
les clés du refuge
attendait parfois avec sa lanterne
tel un gardien de phare
vigile sous les tempêtes
que je retrouve le chemin
quand je m'égarais

Mais je l'ai aimé au premier instant

Lorsque mon fils Yann nous le présenta
un soir de juin à l'heure de l'apéritif
il me tendit la main courtois
nuque fléchie un peu raide
une part de lui évoquait la réserve la timidité
aussitôt démentie par l'intensité de la présence
la félinité du corps en alerte
sous la carapace affable
dans les yeux l'éclat de l'intelligence vive
et ce large sourire qui illuminait le visage
estompant la tension des traits
l'allure presque dangereuse
—*Je suis ravi de vous rencontrer, Yann m'a tellement
parlé de vous* me dit-il d'un ton respectueux
ajoutant aussitôt flagorneur :
—*Cela fait très longtemps que j'admire votre travail*

Il était à peine plus vieux que mon fils aîné
le confesser me remplit de honte

— *Il est bien, non ?*
me demanda Yann
alors que je demeurais muette
éblouie sous le choc
— *Oui, oui, enfin, faut voir…*

La chair d'une femme vieillissante
embrasée
comme celle d'une midinette

Yann l'avait croisé lors d'un stage
dans un hôpital du centre-ville
ils s'étaient plu tout de suite
s'étaient reconnus pourtant si dissemblables
lui corps trapu basané
mon fils long et pâle comme un Irlandais
amoureux de whisky et de fêtes
lui plutôt austère sauvage et rusé
tandis que Yann était crédule et liant
mon fils d'air et d'emballements
lui de terre et de révolte
tout en apparence les séparait
si ce n'est la passion pour la politique le sport
et les femmes
de vrais garçons en somme

J'avais dû perdre le fil des années
du temps qui passe et ravage
alors que je guettais mes fils
m'adonnant à la joie de les aimer
émerveillée du déploiement de leur vie
à présent l'inquiétude me taraudait
de les voir s'échapper
s'engager dans des combats
qui n'étaient pas les miens
se perdre peut-être
quand je les contemplais à la dérobée
leurs grands corps dégingandés
leurs longues jambes
leurs tignasses claires
leurs peaux affolées par le soleil
les cigarettes qu'ils s'échangeaient
la musique qu'ils vénéraient
j'avais du mal à croire qu'ils soient issus de moi
(leur père devait y être pour quelque chose)

Cet amour-là
l'amour maternel
puissant irrémédiable
indestructible
ne demande rien n'exige rien
du moins c'est ce qu'on affirme

Lui venait de loin des racines kabyles
il s'exprimait avec précision
le choix des mots justes
dans cette langue pour lui étrangère
semblait une affaire d'honneur et de vie
quand il parlait — débit rapide et heurté —
son corps se tendait
entièrement concentré sur la parole
il n'élevait jamais la voix même emporté
il chuchotait ses courroux
avec une véhémence de miel
il était fier farouche même
à la fois incandescent et réservé
avec cette façon de vous toiser un peu de haut
que je pris longtemps pour de la raideur
de l'orgueil berbère mâle et despotique

Était-ce de l'amour
ou du désir
cette lame violente
qui sapait mes fondements ?

La montagne rocheuse crispée au zénith
le turquoise de la mer au pied
des petites maisons blanches et bleues
le parfum poivré du thym
contre les pierres sèches
il m'observait sans bouger assis bien droit
sur le banc minéral au flanc de la maison
tandis que je m'approchais
longeant le petit jardin rocailleux
je tremblais de colère
— *Qu'est-ce que vous faites là ? vous êtes ici*
chez moi
il se mit à rire
ses yeux bleu foncé
son visage cuit de soleil creusé de sillons secs
ses cheveux drus presque blancs
j'avais seize ans à peine
il aurait pu être mon père
— *C'est vous qui êtes chez moi et ça ne me*
déplaît pas !
je m'approchai aussi près que je pus
le silence était compact
il me fixait sans bouger
un lézard au soleil

la sueur coulait dans mon dos je la sentais glisser
le long de ma colonne vertébrale
ma voix sourde et blanche de rage
— *Si vous êtes vraiment le propriétaire de cette*
cabane, cela ne vous donne pas tous les droits
il se leva me prit légèrement le bras
— *Vous ne mangez pas assez, cela se voit, dans*
mon pays on aime les femmes en chair
son pouce caressait délicatement
comme par mégarde
la peau interne de mon poignet
d'un seul coup il m'attira à lui
je fus contre sa chemise
humant son odeur
tandis que sa main levait mon menton
j'avais le souffle court j'aurais voulu
le frapper m'éloigner
les membres inertes
les jambes molles
mon corps plaqué contre son corps
sa langue sur le contour de ma bouche
ma robe claquant au vent comme un drapeau
il posa négligemment sa main sur ma cuisse

la laissa remonter tranquillement
tandis que ses yeux me scrutaient attentifs
ses doigts passaient sous le rebord de la culotte
comme s'il en vérifiait l'élastique
touchant le tissu effleurant à peine la peau
l'humidité vint et au ventre cette soif
que les garçons de mon âge
n'avaient jamais déclenchée
trop pressés sans doute d'assouvir la leur
il s'écarta aussi rapidement
qu'il m'avait attirée à lui
et sans me quitter des yeux
recula s'inclinant solennel
— *Je reviendrai et je vous apporterai du fromage*
sous le soleil de midi son ombre
était gigantesque
il me fit un salut cérémonieux
s'éloigna d'un pas souple
je restais dans la lumière suffoquée et furieuse

Il me semble que l'expression *démon du midi*
ne s'applique qu'aux hommes

Quand un vieillard conquiert une jeune femme
on trouve tout naturel qu'il l'exhibe
comme un trophée
rehaussant le prestige d'une virilité déclinante
mais on se gausse d'un jeune homme
en compagnie d'une femme mûre
on le traite de gigolo
comme si la cupidité
était le seul motif plausible
à une alliance jugée disgracieuse

Au premier instant

Au moment du frisson
de la précipitation du pouls
du battement fiévreux du cœur
de la brusque chaleur sur les joues
de la sensation de vide dans l'estomac
ventre aspiré contre le dos
comme soumis à une accélération puissante
j'aurais dû fuir

Mais je suis restée là
écervelée
ravie

De désir
je n'en avais pas éprouvé
depuis longtemps

Après que cet homme
l'été de mes seize ans
m'ait si patiemment initiée
j'avais connu des flammes
parfois des terres qui tremblent
j'avais aimé passionnément des hommes
leurs corps nos ébats m'avaient captivée
mais brutalement sans que j'y puisse
l'appel de la chair s'était tari

Je ne fréquentais même plus
ces plaisirs solitaires
obtenus jadis si facilement
qui me semblaient désormais dérisoires
presque fastidieux

À présent la jouissance
prenait sa source ailleurs
dans le corps à corps obstiné
avec la matière
les longues journées d'ouvrier dans l'atelier
à peindre chercher et travailler
quand j'en sortais j'étais repue
saoulée d'intensité
blanchie

J'avais renoncé
satisfaite d'être bannie
du terrain de chasse
confinée dans le sérail
des vieilles juments qu'on cajole
mais qu'on ne monte pas

Satisfaite ?

Mais je l'ai aimé au premier instant

Et le volcan réveillé
gronda et rugit
impatient d'en découdre
de lacérer mes chairs
de galoper sur ma lande
de la ravager

Au début je gardais une distance une froideur
lui m'approchait tranquillement
posait mille questions sur mon travail
semblait s'intéresser à mes réponses
cela m'étonnait me flattait
je me demandais ce qu'il pouvait bien
me trouver

Quand on se croit à l'abri
statue d'albâtre vissée sur son piédestal
alors une flèche empoisonnée
venue de nulle part
se fiche au plexus
imprimant au corps une douleur lancinante
qui vous cisaille vous fait trébucher
vous abat sur le flanc
l'enveloppe roide éclatée sous le choc
le cœur palpitant libéré de sa gangue
sanglant
sur le sol

Très vite Pierre l'homme de ma vie
l'avait adopté l'invitant à notre table
lui offrant le gîte le prenant sous son aile
ils se mesuraient au tennis au squash aux échecs
ferraillaient sur des sujets brûlants
le colonialisme français l'intégrisme algérien
l'indépendance ici là-bas
sa présence au milieu de mes fils
occasionnait toujours des fous rires
des discussions enflammées
d'intenses joutes de *baby-foot*
pour les grands matchs de hockey
ils s'asseyaient tous les quatre
entre hommes dans le salon
avec bière chips cris et commentaires partisans
tandis que de la pièce voisine
je les espionnais malgré moi
et ne parvenais plus à lire

Plutôt que d'admettre l'inavouable
j'attribuais à l'été cette énergie fébrile
cette exaltation soudaine
ce désir de changement
qui m'animaient

Lorsque je fus obligée de reconnaître
ce qui me chavirait
cette douleur exquise
la honte m'empêcha
de confier à quiconque
un secret pesant
de tout son poids
sur ma poitrine
et qui
une fois épanché
ne m'appartiendrait plus

Prise au piège
mâchoires métalliques
déchiquetant le corps
saignant des entailles
dans la chair moelleuse

Pendant l'été je trouvais souvent refuge
chez mon ami F. qui occupait l'atelier
à côté du mien
et travaillait comme moi des horaires d'ouvrier
il me faisait un café
dans sa vieille cafetière italienne
sur le réchaud à gaz qu'il avait récupéré
dans une ruelle
nous parlions de tout rarement de peinture
il aimait la vie le vin les femmes
choyait la sienne d'un amour admiratif
un jour que nous étions assis
sur ses fauteuils en toile il me dit :
— *Je viens de lire Magris, c'est très bien ce livre,*
attends, Danube, c'est le titre
il fouillait sur sa table couverte d'esquisses
de livres éparpillés de croûtes de pain
de tasses de café de cendriers pleins
et brandissant son carnet de notes
— « *pour détourner son regard de son propre abîme*
sans fond rien de tel que de l'orienter vers l'analyse
de l'identité d'autrui, que de s'intéresser à la réalité
et à la nature des choses »

je soutins son regard les yeux humides

— *Pourquoi tu me lis ça ?*

— *Oh pour rien, juste pour partager. Il me semble que c'est pour cela qu'on peint, non ?*

Je l'ai aimé au premier instant

Un liquide sombre et sucré
du sirop brûlant
injecté dans les veines

Plus tard quand les nuits seraient acides
je regretterais les premiers moments
juste avant que mon être ne s'embrase et souffre
juste avant que je ne perde totalement la tête
quand je me persuadais :
— *Ça va passer, ça va passer*

Au premier tremblement

J'ignorais tout de lui
sauf ce sourire irrésistible
dont il me gratifia

— C'est pour mieux te manger mon enfant

Ce qu'il était vraiment
je l'apprendrais plus tard
quand il se confierait
avec pudeur et parcimonie
parfois avec fièvre

la blessure de l'enfance
ses origines
l'aïeul humilié combattant pour la France
couvert de médailles
sans pourtant se mériter
de carte d'identité
l'orgueil meurtri du père contraint de s'enrôler
pour lutter contre les siens
la *salle guerre* contre le FLN invisible
les crachats de la famille
les insultes de l'armée française

après l'indépendance
la décision du père
de s'extirper loin de la terre natale
de la vie ancestrale
des paysans illettrés bousculés
par les vagues successives de violence

tous ces cadavres dans l'histoire de la famille
toutes ces femmes violées dans des *bleds* perdus
tous ces morts sans sépulture
qui le réveillaient parfois la nuit

Je l'ai aimé au premier mot

Et je n'étais pas la seule
durant toutes ces années
où nous l'avons côtoyé
il eut de nombreuses conquêtes
qu'il nous présentait parfois
à la table du dimanche
il me demandait mon opinion
j'observais sans mot dire
ces jeunes filles belles et brillantes
je les faisais parler
il me fallait reconnaître
qu'il les choisissait bien

Quant aux hommes
il avait le don de se les attacher
en convoquant chez eux l'instinct paternel
il s'en faisait des alliés des protecteurs
qui l'épaulaient lui offraient
expérience et savoir
tout ce dont il était
si affamé

Lui animal sauvage
avait besoin de liberté d'espace
d'aller voir ailleurs
s'il se sentait cerné
dans son sillage il laissait
de la lumière un peu de chaleur
de quoi se sentir moins seul
quand on était déserté

L'exil cimentait peut-être entre nous
une connivence secrète
l'expérience du déracinement
de la terre qu'on porte en soi
qui vous fait distinct des autres
secrètement séparé de ceux
qui partagent histoire colères
mémoire des humiliations
des défaites
et tous ces écheveaux tissés dans l'enfance
noués sur les chemins de l'école
les bancs de l'université
qui tracent un imaginaire un vocabulaire
une poésie commune
l'étranger flotte alors dans le vide
accroché à des fils fantasques
coupés comme des tendons à vif
près des parois lisses
où il est hébergé

Si j'avais pu me contenter
de cette alliance intime
la cultiver
en jouir
comme d'un plaisir trop rare
pour être dilapidé

Je le guettais tous les jours
pendant presque une semaine
il ne revint pas
le matin j'allais au village
acheter l'essentiel
j'observais sur le chemin
les silhouettes des pêcheurs
penchés sur leurs filets
échangeant sous cape
dans leur langue rugueuse
des plaisanteries des rires à mon passage
le dimanche suivant
il se présenta en habit noir
sa chemise blanche éblouissante
au soleil de midi
il gravit le petit chemin de terre
ses yeux marine semblaient plus foncés
que la première fois
il me regarda de son air bleu narquois
— *Tu te languissais ?*
j'étais rouge de honte
immobile
crispée

— La colère te va bien, elle te donne
des couleurs
je fis demi-tour il m'attrapa par le bras
— Attends, j'ai quelque chose pour toi
il apportait dans un petit pot
du fromage de brebis
il sortit son couteau
d'un geste adroit en prit un morceau
qu'il me tendit
je le défiai un instant avant de goûter
le fromage frais humide
les yeux plantés dans les siens
et sentis mon bas-ventre s'embraser
sans me quitter des yeux
avec précaution
il défit chaque bouton de ma robe
sous son regard je brûlais et tremblais à la fois
les mots qu'il murmurait doucement
avec cet accent que je n'avais pas remarqué
la première fois :
— Tu es belle, tu es incroyablement belle
ma robe ouverte glissée à terre
nue devant lui dans l'air chaud
sa main légère posée sur mon épaule

sur mes seins trop petits
je les sentais durcir le souffle coupé
sur mon ventre qu'il pétrissait avec douceur
tandis que le bout de ses doigts
explorait délicatement
précisément
la peau au-dessus de la masse brune des
poils
en bas
là-bas
il surveillait mon souffle
la houle de mon corps
tête renversée
je ne bougeais pas
le laissais me soulever
me poser sur le lit sous la petite fenêtre
fente noire sur le mur blanc
et sa langue experte sur mon sexe
tranquillement
je ne savais pas qu'on pouvait le faire
lécher ainsi mon sexe en toute indécence
je vis sa peau rougir sous le hâle
je le percevais excité et brûlant
nous étions silencieux

j'aimais ce silence dense et odorant
de menthe de sarriette
sa main sur ma hanche l'autre dans mon dos
mon corps tanguait cambré sous la caresse
il se maîtrisait me donnait du plaisir
sans prendre le sien
sa langue en moi agile vibrante
gourmande comme éblouie
mon corps dénoué ouvert
devenu matière ondulante
métal chauffé malléable
caramel frémissant
crème brûlée

Y a-t-il un âge précis
où les femmes s'effacent
du champ de vision des hommes ?
où elles circulent comme voilées
corps honteux dérobés
se glissant anonymes
au milieu de l'essaim
de chairs fraîches ?

Tu verras ma fille, une fois passé le retour d'âge,
on a la paix disait ma mère
je n'ai jamais su de quelle paix elle parlait
et quant à l'expression *retour d'âge*
elle n'évoque pas l'agonie de la jeunesse
dans un corps secoué de fièvres
ni cette métamorphose
violente et chaotique
qui mène les femmes
à la stérilité

Je me rapprochai de lui
avec précaution
la peur qu'il me démasque
aiguisait ma méfiance
je mesurais chaque pas
craignais d'outrepasser
les limites permises
par je ne sais quel code de conduite

Je rusais incitais Yann à l'inviter à souper
inventais des prétextes pour le croiser
je me retrouvais jeune fille dans ces roueries
ces attentes fébriles
et ridicule
dans mes puériles machinations

Yann ne se faisait jamais prier
il était ravi que nous l'accueillions
il le traitait comme son frère
l'emmenait partout
lui ouvrant son carnet d'adresses
le présentant à ses amis d'enfance
à la famille de son père
le traînant parfois de force
dans des soirées festives
où lui qui ne buvait pas
discutait fiévreusement
dos au mur sans bouger
cerné d'hommes et de femmes
attirés irrésistiblement à lui
comme au pôle de l'aimant
(c'est du moins ce que mon cadet Loïc
me relatait)

Alors que je brûlais du désir qu'il me prenne
là tout de suite
sur le tapis
contre le comptoir de cuisine
dans le couloir n'importe où
je me montrais avec lui comme avec mes fils
légère affectueuse et hospitalière
heureuse et disponible quand il était là
discrète le reste du temps
n'exigeant rien sauf le respect
de quelques règles de savoir-vivre
avec lui j'ai découvert le sens du mot
maîtrise de soi

L'impétuosité de l'ardeur
évoquait les émois juvéniles
l'incapacité de les révéler
me rappelait sans cesse
que je n'avais plus l'âge d'être aimée
encore moins par quelqu'un
qui avait la vie devant lui

Plus tard
il me dirait sa nostalgie de l'Algérie
d'une terre mythique plusieurs fois saccagée
du soleil implacable et des chèvres
qu'il gardait enfant

Plus tard
il me raconterait
son adolescence en sol français
la langue apprise à toute vitesse
celle destinée à chanter la pomme
mignonne dis-moi si la rose
et non celle qui roule
comme des cailloux dans la gorge

sa vie à Paris avec l'étiquette de *harki*
de *bougnoule*
double offense pour un Berbère
les papiers à présenter en toutes occasions
preuves de légitimité pour avoir le droit
de fouler le sol des rois
la terre des droits de l'homme

mais son émerveillement
sa passion saugrenue pour cette langue
étrangère
sophistiquée ardue
sa découverte d'un nouveau monde
celui de la littérature
et les livres dévorés toutes les nuits
en cachette sous le drap
à la lampe de poche

Tu n'es pas la première ni la dernière
à désirer
un homme qui ne te veut pas

C'était peut-être cela au fond
je préférais le silence au rejet
plus que tout j'avais peur de le perdre
de céder la place unique que je semblais occuper
pour rejoindre la cohorte des indésirables
des délaissées
celles qui furent aimées de lui
puis oubliées

Tu as un orgueil monstre !

Pendant presque un an
je réussis à me brider
canalisant l'incendie
dans l'œuvre qu'alors j'élaborais
sa présence nos échanges
me procuraient d'intenses joies
je m'intéressais à tout ce qui l'habitait
observais avec avidité ses faits et gestes
mais sans la gravité l'angoisse
qui se manifesteraient plus tard
quand il serait trop tard

Je l'ai aimé au premier instant

Aimée de lui je ne l'étais pas
pas de cet amour-là
qui affole au moindre regard
au son de la voix
à la proximité d'un corps
à l'effleurement par mégarde
d'un doigt sur bras nu

Je ne peux pas parler pour lui
de la folie
je ne connais que la mienne

L'homme de ma vie n'y vit que du feu
du moins c'est ce qu'il me laissa croire
je ne cachais pas mes sentiments
les déguisais simplement
en affection maternelle
j'avais ainsi la permission
de m'alarmer pour lui
en toute impunité

Juste avant l'été
cela faisait un an déjà
il obtint son diplôme de médecine
en même temps que Yann
ils vinrent tous deux célébrer à la maison
lui qui ne supportait pas l'alcool
s'enivra de champagne
nous étions pétillants roses de plaisir
il s'assit un moment près de moi
m'entourant de son bras
— *Je voulais vous remercier de votre hospitalité,*
de m'accueillir ainsi, si fidèlement, moi qui suis
nomade, sans pays, sans famille
son geste affectueux sans ambiguïté me raidit
j'étais écarlate
— *Ça va ?*
— *Oui, oui, le champagne me monte toujours à la tête !*
le silence plein de rires sur les visages
et lui détendu comme rarement presque désinvolte
— *J'ai une grande faveur à vous demander : est-ce que*
vous accepteriez de me faire visiter votre atelier ?
j'acquiesçai malgré la panique intérieure
et il planta un baiser bien rond bien espiègle

sur ma joue chaude
tandis que mes fils se moquaient de moi
— *Oh la la, il fait rougir Maman* !

Plus tard
il évoquerait la gorge nouée
sa mère trop tôt disparue
pliée sous le joug du père
sa violence ses tourments
morte de chagrin peut-être
d'avoir vu de trop près
la folie des hommes

tout ce qu'il me raconterait
au fil des années
ces images ces couleurs
ces ciels incendiés
cette colère noire qui coulait parfois dans ses veines
et qui me faisait trembler

Un amour comme une tumeur
qui vous dévore
dans le secret la moiteur du corps
compresse la cage thoracique
jusqu'à l'étouffement
mais qui déraisonnablement
vous révèle
vous pousse à combattre
à ne pas se coucher devant le grand silence

Je travaillais sur une grande œuvre
à l'extérieur du musée
une fresque qui prenait tout mon temps
il venait parfois durant l'été
constater les progrès
apportait un thermos de café
des dattes
s'inquiétant de ma santé de tous les maux
que causait à ma carcasse
cet ouvrage harassant
mon esprit tout entier occupé par lui
laissait le corps s'éreinter à la tâche

— Tu es préoccupée depuis un bon bout de temps,
il me semble
me fit remarquer Pierre à qui rien n'échappe
(sauf parfois l'essentiel)
— Ça ne va pas comme tu veux au musée ? Tu n'en
parles jamais
— Si, si, ça m'accapare complètement
je me sentais embarrassée de mentir
ingrate et mesquine
incapable de donner autre chose
que cette affection décolorée
dont il semblait se contenter
j'en voulais à Pierre d'être aussi patient
j'aurais souhaité qu'il se fâche
me délie de l'ensorcellement
la belle au bois dormant réveillée par
le prince au cheval blanc
mais peut-être cela l'arrangeait-il
que je sois ainsi endormie
envoûtée par le sortilège
il avait plus d'espace
pour vivre à sa guise

Au premier instant

J'avais dû reconnaître en lui
cette part obscure ancrée dans l'enfance
qui le rapprochait de moi et se dévoila plus tard
quand il fut question des nœuds familiaux
des plaies secrètes
son rejet épidermique de toute forme d'autorité
sa révolte appuyée sur d'autres fondements
que la mienne
mais bouillonnante virulente
qui le poussait à l'action au dépassement
le rendait intransigeant face à la mollesse la paresse
ses exigences éreintantes pour les autres
lui qui ne baissait que rarement la garde
nous étions tous deux dépourvus d'humour
ce qui pouvait nous rendre ombrageux
mais n'estompait ni l'enthousiasme
ni la capacité d'engagement
l'excessivité de nos caractères
vos mauvais caractères aurait précisé Yann

tout cela soudait une liaison souterraine
une parenté inavouée
nivelant l'écart d'âge de culture
transcendant toutes les différences

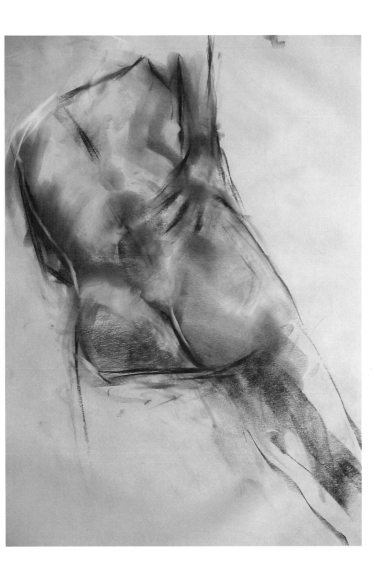

Quand je me réveillais
dans la petite maison blanche
et que je sortais sur la terrasse minérale
face à la mer et à la montagne surgie de l'eau
île pointue couleur sienne pâle
dorée au soleil du matin
ma première pensée était pour lui
qui allait venir à pied
sur le chemin de pierres
au milieu de l'odeur puissante des chèvres
mêlée à l'air salin
au thym à la menthe
tandis que sa moto l'attendait un peu plus bas
il apportait toujours un présent
une brioche un pot de miel
du fromage de brebis
assis bien droit sur la petite chaise de paille
il me regardait manger en silence
avec son sourire malicieux
laissait monter le désir sans bousculer le temps
son regard sur moi comme une pierre
chaude et lisse
caressait ma nuque
me massait les épaules le dos

et je sentais d'instinct qu'il aimait
la torpeur de mon corps
lent à s'éveiller sous ses doigts
l'acculant à plus de dextérité encore
jusqu'à ce que la peau encore fraîche
après la douche du matin
frémisse sous sa main
il m'apprenait à ralentir la cadence
à ne pas me précipiter dans l'amour
j'étais si jeune si peu experte
il chuchotait me donnait des consignes :
— *Va doucement, suis-moi, doucement,*
doucement
m'obligeant à énoncer mes désirs
j'aimais la simple crudité des mots échangés
le pouvoir suggestif de ce langage troué
sa force érotique
— *Attends, attends, caresse-moi*
il était patient
rien ne pouvait plus lui plaire
que de m'entendre rire quand le plaisir éclatait
comme une grenade rouge
chauffée au soleil
écrasée sous le pied

giclant son sang
sur l'asphalte sombre

Je ne pouvais rien réclamer rien exiger
à quel titre aurais-je pu le faire ?
je devais attendre qu'il se montre
et cette espérance me rendait folle
d'angoisse et de colère
l'idée d'être ainsi à sa merci
comme la maîtresse d'un homme marié
qui ne peut appeler qu'aux heures prescrites
et doit se contenter de petits bouts de nuit
de soirées volées
de week-ends dispersés
organisées dans le mensonge
me révoltait
mais avec lui ni promesse ni récompense
ni nuits dérobées ni rien d'autre
au bout de l'attente
que quelques phrases échangées
quelques moments d'intimité
le cadeau qu'il me faisait de sa présence
d'une simple confidence

Juste avant Noël je l'invitai finalement
à visiter mon atelier
le cœur battant je lui ouvris la porte
j'étais tout à coup timide malhabile
honteuse du désordre
ne sachant que lui montrer
je lui offris un verre d'eau
il fit le tour silencieux inspectant les murs
lisant le titre des livres éparpillés dans
l'espace
me demandant :
— *Je peux* ?
chaque fois qu'il touchait quelque chose
je sortis mes dernières toiles avec précaution
les installant dans la lumière
les disséquant silencieusement à ses côtés
tandis qu'il s'exprimait sur ce qu'il voyait
les rôles étaient tout à coup inversés
timorée et fébrile
je devenais l'élève et lui le maître
à qui j'aurais montré
une première esquisse
ses commentaires sur ma peinture
étaient profonds et structurés

son regard m'apprenait des choses nouvelles
fouettait mes habitudes
mes certitudes
c'était vivifiant

La férocité des sentiments muselés
la cruauté de la braise
sous le mutisme
et la dissimulation

On ne m'avait pas dressée
à compter sur mon corps
pour séduire
j'avais toujours fui les miroirs les artifices
et toutes ces frivolités censées attirer les hommes
mais qui constituent plutôt l'enjeu
des rivalités féminines
plus jeune il ne me serait jamais venu à l'idée
de me battre pour gagner un amoureux
je préférais l'isolement orgueilleux
aux luttes sournoises
et détestais les rituels de conquête
que je n'étais sans doute pas apte à pratiquer

À présent mon corps me dégoûtait
je le trouvais flasque sans attrait
je pinçais les replis du ventre
les amas de graisse
détaillais froidement
l'affaissement des seins
les relâchements de la peau
l'état du délabrement me surprenait
comme s'il était survenu crûment
pendant une courte absence
comme si j'avais été aveugle
au temps qui passe
et ravage
la carcasse
la privant de verticale
la laissant s'alourdir
se courber
vers la terre
la tombe

Sensation violente
d'armature corrodée
de viande qui sèche
et s'effiloche
avachie
privée de
ses nerfs

(la force des peintures noires de Goya)

Tout à coup j'entendais mieux
l'affolement de mes amies
devant leurs rides leurs bourrelets
leur besoin frénétique de se faire injecter
des substances qui maintiennent le visage coagulé
leurs achats compulsifs de crèmes
censées prodiguer au corps fermeté ou fraîcheur
ou les deux
les coûteuses opérations esthétiques
où elles engloutissaient l'argent
d'une autonomie chèrement acquise
— *Pourquoi devrait-on se priver ?* lançaient-elles
On n'est plus obligées de rester enfermées comme des
nonnes passé cinquante ans !

Ni de dégoûter les autres au spectacle de notre déliquescence !

Je me surpris pour la première fois de ma vie
à regarder secrètement les vitrines
à avoir envie de porter de jolies choses
tellement plus féminines auraient dit mes amies
plutôt que ces tenues informes
qui m'avaient toujours convenu
j'examinais à la dérobée
les compagnes de mes fils
leur taille fine leurs seins fermes
leur peau lisse et fraîche
avec une sourde rancune

Au premier instant

J'aurais dû me savoir trop moche trop vieille
pour qu'il puisse me désirer
et même si ce désir avait été imaginable
comment aurait-il pu se concrétiser ?
dans un improbable lien illicite ?
une relation amoureuse au grand jour ?
l'idée de recommencer ma vie
avec un jeune homme
de vieillir à ses côtés
guettant ses regards
sur des corps alertes
anticipant le moment
où il se lasserait
cette idée-là m'accablait

Je préférais un autre supplice
qui ne valait pas mieux
devoir me satisfaire
de ce qu'il voulait bien me donner
l'éclat de sa jeunesse
sa vitalité incandescente
son souffle ranimant en moi
le feu la fougue
qui me consumeraient

Lui semblait toujours à l'affût
du moindre changement
savait comment me flatter
me mettre en valeur
remarquait des détails
la couleur d'une nappe
une robe un bouquet de fleurs
la saveur d'un repas
le goût d'un vin
les modulations d'une humeur
il était attentif et galant
plongeait dans une révérence
en me tendant *la pantoufle de vair*

Mon père aurait approuvé
avec sa sècheresse habituelle
il est bien élevé aurait-il signifié
invoquer ainsi mon père était si incongru
que cela me fit rire
il y a des réflexes bien ancrés me dis-je

Un jour
il évoquerait la voix pleine de ressentiment
son deuxième exil à la fin de l'adolescence
la décision du père de les arracher à la France
un pays qualifié *de perruques poudrées*

sa colère à quitter Paris
où des racines commençaient à pousser

sa haine immédiate de ce pays de froid
contrée de femmes sans véritable territoire
d'où les hommes fuyaient sans faire face
à leurs responsabilités fustigeait-il

ses mains gelées refusant l'hiver
sans gants ni tuque
rien sur la tête
un petit manteau dans lequel il grelottait

la cassure avec ses frères convertis à l'Amérique
à la vie de banlieue propre et rangée
à l'islam à l'anglais
à tout ce qu'il exécrait

les réunions de famille une fois l'an
pleines de tension d'incompréhension

sa vénération pour la France vomie par le père
pour lui un premier amour un éblouissement
Paris la Seine Ménilmontant les quais la Sorbonne
une beauté dont il ne se consolait pas
quand il parlait ainsi il réveillait en moi
je ne sais quelle nostalgie enfouie
des souvenirs de jeunesse des odeurs d'enfance
des phrases oubliées
comme des clichés jaunis
dans un improbable album de famille
dont la vue soudaine vous étreint à la gorge

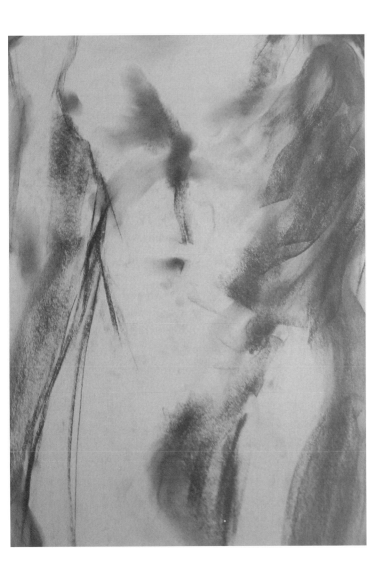

Quand je le croisais au village
il me faisait un petit signe de tête
levant à peine les sourcils
comme le font les gens de son pays
je baissais les yeux
tout en roulant imperceptiblement du bassin
pour l'exciter
je le voyais rougir cela me faisait rire
je savais qu'il était veuf
mais j'ignorais s'il avait une fiancée
et cela m'importait peu
un jour il me dit avec fierté
que son fils travaillait dans la capitale
c'était l'une de ses rares confidences
je ne racontais pas non plus ma vie
il ne me posait pas de questions
nos désirs dessinaient
le lieu du langage simple et cru
des exigences chuchotées
dans la chambre blanche
ses doigts sur ma peau habiles
et ses yeux plissés de fierté
quand il me faisait jouir
tenaient lieu d'éloquence

sous sa main je découvrais
la vastitude d'un territoire
que personne ne m'avait dévoilé
de l'amour je ne connaissais
que la poussée laborieuse et abrasive
dans la position du missionnaire
la seule autorisée par le catéchisme

Loïc avait passé l'après-midi
dans mon atelier
lisant et fumant sur le divan
écouteurs aux oreilles
le pied nu battant la mesure
au moment de rentrer à la maison
il me lança :
— *Vous vous aimez encore Papa et toi ?*

Pendant l'hiver
il vint souvent me visiter
nous parlions de tout
la peinture l'intriguait je lui montrais des livres
parfois mes cahiers d'esquisses
je l'interrogeais sur sa vie ses racines
il me confia ce désir d'écrire
qui l'avait toujours taraudé
à travers nos conversations
nous érigions un réseau de complicités
une sorte de lien fraternel
qui nous installait d'emblée sur un pied d'égalité
je ne me protégeais pas j'aurais dû le faire
mais c'était trop tard
il m'avait ouverte
j'étais offerte
prête à perdre pied
à sombrer
dans l'eau verte et glauque

Alors que je n'avais jusqu'alors rien représenté
de concret d'humain
et n'exprimais que dédain
pour la peinture *figurative*
j'entrepris une série de corps féminins
en état de décrépitude
des vieillardes arides
plissées et voûtées
recroquevillées sur leur ventre
comme sur un trésor
j'essayais de traduire
la force contenue
dans ces chairs abîmées
les esquisses étaient très mauvaises
mais matérialiser ces corps déchus
me délivrait

Au premier frisson

La chair vorace
assiégea l'esprit
impérieuse
assurée de sa victoire
réclamant sa pitance

Un soir de printemps
je me présentai les cheveux coupés court
dans le salon où mes hommes
affalés devant un match de foot
— *De soccer, Maman !*
semblaient en prostration
ils levèrent les sourcils interloqués
Loïc simula un effarement cocasse :
— *Mais Maman ? Ça va pas ?*
puis imitant un improbable accent arabe :
— *Où tu les as mis tes cheveux ? Femme, tu as perdu*
ton pouvoir, tu ne vaux plus un kopek !
ils s'esclaffaient me faisaient tourner
sur moi-même
pour mieux observer le résultat
— *Maintenant si tu t'habilles un peu, on va enfin*
oser te sortir, allez champagne !
ils riaient ébahis que leur mère ne soit pas
immuable
Pierre me regardait en coin sans poser
de questions
lui murmura simplement :
— *Ça vous va bien*
et ce sobre éloge me fit l'effet d'un baiser torride

Tu te contentes de pas grand-chose

Deux ans après que nous l'ayons connu
il disparut de nos vies pendant plus d'un mois
quand j'interrogeais Yann il haussait les épaules
en arborant une mimique perplexe et comique
— *No sé*
un jour il me lâcha négligemment :
— *Mais Maman, tu sais quoi, il est tombé amoureux fou,*
il est méconnaissable
l'obscurité bascula brusquement dans la pièce
— *J'espère pour lui que c'est réciproque*
fis-je d'une voix voilée

J'ai tout aimé de lui

Même les écouteurs sur les oreilles
les t-shirts élimés
les sandales improbables
les pantalons très bas sur les hanches
comme ceux de mes fils
qui laissaient voir la marque des slips
et un morceau de peau juste au-dessus
si tendre si tentante
que j'aurais pu tendre la main
caresser de l'index
la langue de chair
étroite et douce
petit morceau d'éternité

En août il nous présenta sa nouvelle flamme
elle ne ressemblait pas aux précédentes
rituellement blondes grandes et racées
elle était très mince de petits seins
presque androgyne
avec des yeux noirs et brillants
une lourde frange ébène
et canaille
une séduction sulfureuse
l'impétueux désir qui m'envahit
de la défigurer sur-le-champ
me fit honte
je prétextai une migraine
pour me lever de table et disparaître
la mesquinerie devait s'afficher sur mon visage

Je ne sais quand — à ce moment-là peut-être —
le besoin de lui
de sa peau contre la mienne
de son souffle
ses yeux dans les miens
devint impérieux
m'empêchant de dormir
me harcelant le jour
me conduisant parfois
au bord de l'évanouissement
un vertige
une privation étourdissante
qui vous tord vous déforme
et que seule sa présence parvenait à soulager
comme la giclée de morphine dans le corps crispé
procure mer étale
immobilité provisoire
silence après tempête

Tu te croyais au-dessus de la mêlée hein ?

Parfois il m'emmenait sur sa moto
à l'heure bénie
où le soleil rougeoie dans l'eau
où l'air devient poudre d'or
où les oliviers frissonnent sous la brise du soir
nous roulions sur le chemin qui domine la mer
mes mains autour de ses hanches
ou devant lui croupe contre ventre
il conduisait prudemment
tandis que les chèvres dévalaient la montagne
pour passer la nuit en troupes
blotties dans les fossés
une fois le soleil englouti dans l'eau noire
l'obscurité tombait rapidement
la chaleur des pierres
l'odeur forte du maquis m'enivrait
alors il me laissait le guidon et d'une main
me caressait doucement les seins
les bras
le haut de mes cuisses
nous nous arrêtions dans une des cabanes
de berger plantées proches du chemin
debout dans la noirceur
il relevait ma robe pour une étreinte brève
et n'avait qu'à cueillir le plaisir brutal

qui m'embrasait
il criait parfois si fort
que je mettais en riant la main sur sa bouche
pour le faire taire

Depuis qu'il était amoureux
il venait moins souvent à la maison
sans lui tout me semblait déserté
je détestais les espaces
privés de sa présence
en son absence la conversation
me semblait insipide
mes amis prévisibles
et même la lumière oblique de septembre
sa couleur dorée
ne me consolait pas
je prolongeais mes heures de travail
et tournais en rond
ne parvenant pas à l'appeler
pour prendre de ses nouvelles

Mon ami F. fut longtemps malade
la porte de son atelier fermée
je le visitai chez lui dans la chambre
où il gisait les yeux au plafond
depuis quelque temps il cherchait
une nouvelle façon d'appliquer la peinture
il se languissait d'expérimenter
la profondeur la densité
des couleurs
— *Je travaille quand même* me dit-il avec son
sourire tendre

J'étais parfois saisie d'accès de révolte
où j'aurais voulu chasser le mal
effacer les sentiments
comme la marée lave
les mots malhabiles
tracés sur le sable
et me retrouver miraculeusement
en deçà du *premier instant*
lorsque l'air était encore dangereusement
immobile
avant que l'assaut de fièvre ne se déclenche
qui saisirait mon corps
de cette transe humide
et me laisserait ensuite
haletante
assommée

Mais je n'avais d'autre dispositif
que de repasser inlassablement le film
du *premier instant*
y découvrir un détail caché
un indice jusque-là invisible
qui m'indiquerait la source
la racine profonde
d'un sentiment aussi violent
introspection douloureuse et stérile
se butant toujours au mystère de l'amour
à sa force déraisonnable
à l'espoir qu'il soulève
contre toutes les évidences

Je me sermonnais
comme on morigène un enfant
n'étais-je pas devenue l'enfant de moi-même ?
désobéissante écervelée
inconsciente des dangers
poursuivant ses chimères
sur les chemins de traverse
au mépris de l'obscurité menaçante
et des rôdeurs

Ça suffit maintenant, ça suffit, tu te calmes et tu rentres à la maison

Revenir au bercail
retrouver la raison
j'en étais incapable
malgré les injonctions
je me rendais au fol espoir
comme on va à la drogue

Le désir de lui supplantait tous les autres
il compromettait jusqu'au vide si crucial au travail
dans l'atelier j'errais insatisfaite
incapable du calme de la solitude
qu'exige la peinture
en proie aux pensées obsédantes
qui me ramenaient à lui
comme une ritournelle lancinante
occupe l'esprit
isole de la vie

Le brouillard gris bleuté
effaçait les contours
gommant surfaces et aspérités
me paralysant dans mon atelier
aucune silhouette ne me visitait
je stagnais dans un espace vide
impuissante à imaginer
à donner vie
je ne voulais ni ne pouvais
voir personne

Au premier instant

J'aurais dû détaler
plutôt que de laisser fleurir
cet amour clandestin
cet amour des caves
et des prisons
au regard oblique
à la tête baissée
amour sans-papiers
affolé à l'idée
d'être démasqué

Certains matins je prenais au lever
la ferme résolution de tout lui avouer
me libérer du secret
du fardeau de honte
au risque de subir son mépris son embarras
le faire fuir à toutes jambes

J'imaginais les circonstances le lieu
choisissais ma tenue
triais soigneusement les mots
inventais des répliques
parfois la scène se finissait en romance
digne d'un roman Harlequin :
— *Je vous aime depuis le premier jour* avouait-il
tandis que je m'évanouissais

Puis au dernier moment
face à lui à son regard noir
étincelant
je renonçais
et restais prisonnière de la toile
que j'avais patiemment tissée
ourdie de mensonges et de falsifications
théâtre de la rêverie
du fol espoir devenu mon refuge
et l'idée de m'en extraire me terrorisait

Il m'arrivait la nuit quand je ne pouvais dormir
de prendre la voiture pour errer dans son quartier
je passais et repassais sous ses fenêtres
stationnais parfois juste en bas
observant les allées et venues
cherchant à imaginer s'il était là et avec qui
une nuit je le vis rentrer avec sa compagne
elle marchait avec difficulté
elle semblait ivre
il la soutenait de son bras enlaçant ses hanches
la portant presque
elle se débattait refusait son étreinte
le frappait de ses poings
je me suis cachée pleine de remords
ne parvenant pas à m'expliquer
comment j'en étais arrivée là
à me vautrer dans l'humiliante position
du jaloux
dans ce désir impérieux
de posséder en exclusivité
ce qui ne m'appartenait pas

Était-ce de l'amour
cette fièvre poisseuse
cette douleur lancinante
cette jalousie hideuse
qui contracte les muscles du visage
et crispe le ventre
comme un accès de dysenterie
qu'on ne soigne
qu'au whisky ?

— *Tu es resplendissante* me dit une amie
on voit que la vie te comble

Je dormais de plus en plus difficilement
perdais l'appétit et le goût des choses simples
ne faisais plus rien
sinon pour lui
qui n'en voulait pas

Prise dans la glue
fixée dans le secret
et l'obsession
oiseau noirci de pétrole
ailes alourdies
figées au sol

— *Vous autres les artistes, vous êtes tellement égoïstes* me lança mon fils cadet alors que je le pressais de faire la vaisselle

— *Je ne vois pas du tout le rapport*

— *Le rapport, c'est que la seule chose qui compte pour toi c'est ta peinture, t'as pas besoin de rien d'autre dans la vie*

Il venait maintenant à la nuit tombée
restait souvent jusqu'à l'aube
mes progrès étaient rapides sous sa main
je prenais de l'assurance
apprenant la passivité
le laissant mener le bal
savourant le plaisir de l'allumer
d'observer sur lui la montée du désir
la rougeur qui le gagnait
excitée par sa convoitise
stimulée par sa maîtrise
je me découvrais joueuse et cela m'étonnait
un soir que je le chevauchais
cambrée sur son sexe
ses mains sur mes hanches
guidant subtilement l'inclinaison du corps
pour que sa verge glisse
au plus grave de mes entrailles
en dessous de moi son grand corps
trempé de sueur
ses yeux presque pâles à force d'abandon
se remplirent de larmes
je léchai ses joues lui demandant
pourquoi il pleurait

il me répondit :
— *C'est que tu vas bientôt partir et que tu me*
donnes tant de joie
De la joie il m'en prodiguait
autant que de l'ivresse
à me sentir libre
sans attaches
affranchie de la tutelle des sentiments
était-ce parce que j'étais si loin
d'une vie familière
exilée de mon histoire
que je pouvais m'abandonner
guidée par le moment le désir
sans me poser de questions
ni souffrir de l'amour
et devenir une autre que je ne connaissais pas
légère et désinvolte
peut-être même cruelle
presque une étrangère ?
cette jeune fille que j'étais encore
elle resterait là-bas
à jamais

En janvier Pierre décida
qu'il me fallait des vacances
il m'emmena sur une plage au Mexique
je me laissai faire honteusement soulagée
de m'éloigner de lui
des affres de l'amour
l'océan Pacifique sa houle impétueuse
aspirait mes pensées les emprisonnait
tandis que nous vivions des jours tranquilles
à lire marcher sur le sable lisse
et qu'enfin je pouvais dormir sans chaos
je sentais le désespoir au guet
terré en moi attendant pour se manifester
que je baisse la garde
je parvenais à tenir en laisse
la bile noire qui m'habitait
me laissais bercer par la mer
caresser par le soleil

Face au Pacifique au fracas de ses vagues
mon compagnon et moi
nous échangions des propos badins
comme le font ceux qui ont vécu
longtemps côte à côte
la familiarité avait remplacé la curiosité
mais que sait-on vraiment
de ceux que l'on coudoie ?
des détails des manies des habitudes
le café du matin que Pierre buvait debout
face à la fenêtre
son goût pour la bonne chère
les vins de Bordeaux
la bière noire
les paysages du fleuve les rites familiaux
l'amour des livres de la marche et de la mer
sa prédilection pour les débats les échanges
son insatiable curiosité intellectuelle
et la foi inébranlable
qu'il avait léguée à ses fils
de faire un pays
toujours à venir
que savais-je d'autre
de ses troubles
ses pensées secrètes ?

Pour la première fois de notre vie commune
je me demandais si Pierre avait eu des maîtresses
des aventures
s'il désirait des corps jeunes s'il plaisait encore
je l'observais à la dérobée
il me semblait plus séduisant maintenant
que son corps sans s'être alourdi
apparaissait moins vigoureux
je jalousais sa peau fine et pâle
délicatement marquée par les années
sa démarche altière de sportif
un peu plus raide peut-être qu'autrefois
en lui je reconnaissais son père ses frères
la fierté irlandaise
qui les tient debout comme des bâtons
même ivres morts
Pierre leva les yeux par-dessus ses lunettes
— *Qu'est-ce qu'il y a, tu m'espionnes ou tu
t'interroges ?*

Mais de lui je ne saurais jamais
les gestes posés au lever
s'il dort sur le dos
s'il se gratte la tête après l'amour
je ne connaîtrais ni les longues connivences
ni les émois tiédis par les années
ni la tendresse des corps lassés
de s'être aimés trop longtemps

Le retour du Mexique fut désastreux
je pensais frivole
l'avoir banni de mes pensées
me réjouissant d'être
sinon guérie
du moins en convalescence
dès que je foulai le carrelage de l'aéroport
le besoin de lui fut si furieux
qu'il me coupa le souffle
les jours suivants
je dus lutter férocement
contre la marée noire et bileuse
qui me menaçait

Après plus d'une semaine d'inquiétude
sans nouvelle de lui
je résistai à la tentation d'aller frapper à sa porte
pour aussitôt m'en vouloir de ma couardise
je soupesai avec soin des scénarios possibles
incapable malgré tout ce temps
malgré l'amitié solide
de poser un geste spontané
finalement j'osai le cœur battant
lui laisser un message téléphonique
indiquant d'une voix légère
que nous étions de retour
que Pierre et moi
serions heureux
s'il s'invitait

C'était si douloureux
d'être bâillonnée
prisonnière d'une frénésie
qui aurait dû me donner des ailes
au lieu l'implosion
cassait maintenant mes élans
m'attachait à lui
comme un chien famélique
à un passant anonyme
implorant un geste une caresse
l'ombre de son ombre

Quand il se présenta finalement chez nous
il était livide et maigre
le visage plein d'ombres
il semblait très abattu
sa compagne l'avait quitté
ou plutôt c'était lui qui n'en pouvait plus
il s'exprimait dans la confusion
hagard et désemparé
terriblement fragile
mon compagnon l'invita à souper
lui offrit un whisky le fit parler
j'écoutai en silence attentive à sa détresse
peut-être bassement heureuse
de constater que sa douleur
sans qu'il le soupçonne
le rapprochait de moi

— *Je suis devenue un peintre officiel* ai-je dit
à mon ami F. tandis que nous sirotions le café
dans son atelier
il était rétabli amaigri par la maladie
mais heureux de retrouver ses pinceaux
sa vie monastique
il se taisait m'observant de ses yeux bleu pâle
derrière ses petites lunettes ovales
— *Je ne fais plus rien de bon, mais je n'ai jamais*
autant été honorée et récompensée, c'est louche,
tu ne trouves pas ?

Yann était accaparé par son travail à l'hôpital
mon compagnon s'absentait le soir
des réunions disait-il
je ne posais pas de questions
(la vie universitaire comporte ses obligations)
Loïc et moi seuls autour de la table
nous nous étonnions de tant de silence soudain
je voyais s'approcher le moment
où mes fils n'habiteraient plus sous notre toit
où il nous faudrait vivre Pierre et moi
comme deux vieillards
attendant un appel
un signe de nos enfants
et cela me serrait le cœur

Au premier instant

Avais-je pressenti
qu'il deviendrait
le centre de ma vie
l'unique objet de mes pensées
l'œil du cyclone
tandis que je m'agiterais
comme une poule sans tête
une poupée de chiffon
désarticulée ?

Durant cette période où il était désemparé
il vint fréquemment à l'atelier
je préparais un thé turc propice à la conversation
il se disait guéri mais avouait aussitôt :
— *Je l'ai dans la peau, cette fille, elle me rend fou,*
je ne peux pas supporter de la voir avec quelqu'un d'autre !
je m'avançai avec prudence sur ce terrain miné
ne souhaitant pas en savoir trop
ni entendre son désir leurs ébats
mais je les devinai quand même
à travers sa jalousie exacerbant la mienne
dans le silence les interstices
entre les mots qu'il ne prononçait pas
il me confia son insatisfaction à exercer la médecine
telle qu'elle se pratique ici
ce désir de retourner en France
qu'il avait maintes fois exprimé
et que je ne comprenais pas
je ne pouvais que bêtement
lui assurer qu'ici il était admiré
chéri de tous adopté
que nous avions besoin de lui
malgré ses efforts pour la cacher
son amertume était palpable

l'idée qu'il puisse disparaître de nos vies
m'était intolérable

Yann à qui je confiai mon inquiétude
le justifia avec fougue :

— *Mais Maman, c'est un gars du soleil, il ne peut pas
s'habituer à l'hiver*

s'empressant d'ajouter :

— *Et puis, c'est dur pour les autres de supporter ce pays
où on est toujours à genoux, tu ne trouves pas ?*

face à mon silence mon hostilité mon fils se fit
encourageant :

— *On ira le voir à Paris*

Pierre énonça cette simple phrase :

— *Il va nous manquer, à toi encore plus*

J'étais à quatre pattes et lui au-dessus de moi
ses mains effleuraient mes seins
comme ceux d'une louve
je me sentais noire et féconde
son sexe sur mes fesses impatient
je l'entendais murmurer
tandis qu'il me soulevait
me dressait verticale
cheval humide contre lui
ses mains en bas de mon tronc
allumaient le brasier
sa verge cabrée
contre mon dos
ses doigts écartaient mes fesses
sa salive mouillant tendrement l'orifice
j'aurais voulu voir ses yeux
j'étais vaguement inquiète
maintenant il me pénétrait
la douleur fulgurante
irradiante
il patientait tandis que s'ouvraient mes entrailles
allait et venait doucement dans mon dos
au cœur de mes ténèbres
chauffant ma peau de ses mains savantes

embrasant ma brousse
mes forêts
mes cavernes
sans rage sans velléité de me soumettre
il n'était ni jaloux ni possessif
ou alors il le cachait bien
il semblait simplement fier
que je sois sa princesse
qu'il me mène au bal
et que j'en sois ravie

— *En vérité tu n'admets peut-être pas qu'il rejette*
un pays que toi tu as choisi
me dit F. avec sa lucidité coutumière
— *Tu te sens trahie, mais c'est sa vie, pas la tienne*
F. ne connaissait pas les dessous
de l'histoire

Pierre m'irritait
je détestais sa placidité
sa confiance en lui en nous immuable
je considérais soudain
cette longue vie commune
avec distance sans indulgence
je lui reprochais sourdement
la culpabilité que je ressentais
d'avoir été choyée
sans rien avoir donné en échange
et cela me mettait en colère
je devenais irascible cherchant querelle
à la moindre vétille
Loïc lança d'un petit ton sarcastique :
— *Je pensais que c'était terminé tes sautes
d'hormones*

Il m'arrivait quand j'étais seule le soir
d'être saisie d'accès d'angoisse
de sentiments de vide
que je ne parvenais à combler
qu'avec un repas avalé debout
une bouteille de vin
bue à toute vitesse
et l'ivresse hébétée
qui s'ensuivait
si elle ne calmait rien
du moins
endormait la douleur
dans la torpeur
alcoolisée

Au printemps je partis pour Glasgow
où je présentais une exposition
une rétrospective
j'avais un ami là-bas un metteur en scène
je lui ouvris mon cœur
c'était la première fois
que je parlais de lui en toute limpidité
il s'exclama enthousiaste :
— *Mais c'est Phèdre !*
il frétillait
— *Mais Phèdre qui se tait, il n'y a plus rien de*
tragique alors !
il riait je ne sais pas si je trouvais cela si drôle
— *De toute façon, aujourd'hui, tu ne pourrais*
plus dénoncer Hippolyte, il n'y aurait plus crime
à vouloir séduire sa belle-mère
je la comprenais pourtant bien sa Phèdre
la façon radicale qu'elle avait trouvée
d'en finir avec le tourment du désir
et de la honte
en accusant l'autre d'un crime
qu'il n'avait pas commis
nous bûmes du whisky jusqu'à très tard
dans la nuit

Il cogna à ma porte un soir
à l'atelier il était tard
c'était avril le printemps endolori
la neige encore en tas au coin des rues
il était très fébrile
m'expliqua longtemps son besoin de partir
me parla du lien si unique à ses yeux
que nous avions réussi à établir
il parla longtemps tandis que je me taisais
l'obscurité tombée le silence se fit épais
je le contemplais incrédule
incapable de réaliser
que nous ne nous verrions peut-être plus
sa main dût frôler mon bras
je l'avais peut-être attrapée
je ne sais pas ce qui s'est passé
dans quel état j'étais
qui de nous deux s'était rapproché
ni comment mes lèvres furent contre les siennes
ou les siennes contre les miennes
dans le baiser fiévreux qui nous emporta
je me souviens seulement
de n'avoir plus de vêtements
qu'il faisait presque froid

que les ressorts du vieux divan
me transperçaient le dos
tandis qu'une petite voix à l'intérieur criait :
— *Mais qu'est-ce qui se passe ici, qu'est-ce qui*
se passe ?
ses mains âpres sur moi
son corps si jeune si nerveux
son ventre plat bien dur
tandis que j'écartais les cuisses
cette frénésie qui nous animait
comme si toutes ces années d'attente
n'avaient nourri que l'impatience
il pénétra en moi impétueux véhément
me tenait maintenant le visage
tirait mes cheveux
et jouissait avec une forme de rage
de désespoir
dont j'étais exclue
quand il s'est retiré de moi
la gêne entre nous était palpable
— *Je suis désolé, vraiment désolé, j'étais hors de moi*
je ne savais pas de quoi au juste il s'excusait
de l'assaut malhabile ou de l'amitié perdue

Libérée la viande pantelante
s'échappe de la cavité
offrant ses amas sanglants
tandis que les mains
compressent la blessure
et que le cri si longtemps retenu
emplit la bouche ouverte

Un souper d'adieu eut lieu à la maison
table de fête champagne foie gras
atmosphère fébrile joyeuse
lui assis à mes côtés
son corps presque contre mon flanc
l'espace entre nous chargé d'électricité
Pierre en verve animait la table
se moquant de tout soulevant des débats
qui se finissaient en pirouettes en rires
mes fils heureux donnaient la réplique
lui nous promit de revenir à Noël
— *Ou à la Trinité* murmurais-je
il nous invita à Paris :
— *Vous viendrez j'espère ?*
sa main sur mon bras
tendre
et ses yeux brûlants dans mes yeux fuyants

À cet instant

Je l'aimais

Comme *au premier instant*

Achevé d'imprimer en février 2012
sur les presses de l'imprimerie Gauvin
à Gatineau (Québec).